Martin sait ce qui arrive à Papa Noël,
petit frère.
Il va te le raconter !
Jean

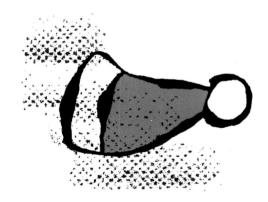

© 2014, *l'école des loisirs*, Paris

Loi 49956 du 16 juillet 1949,
sur les publications destinées à la jeunesse.
Dépôt légal : septembre 2014
ISBN 978-2-211-21820-7

Mise en pages : *Architexte*, Bruxelles
Photogravure : *Media Process*, Bruxelles
Imprimé en Italie par *Grafiche AZ*, Vérone

Jean Maubille

Cracra Noël !

Pastel
l'école des loisirs

Taratata les lutins, le cadeau pour Papa Noël,
c'est plus tard ! dit Grand Renne.

Pourquoi ? demandent les lutins.
Oui, pourquoi ? répète Papa Noël.

Pour ça ! s'écrie Grand Renne.
Hooo, **Cracra Noël** ! reprennent en chœur les lutins.

Eh bien, il n'y a plus qu'une chose à faire !
s'exclament les trois compères.

À la machine, cracra bonnet !

À la machine aussi, cracra manteau !

Beurk, à la machine, cracra chaussettes !

Hop, à la machine, cracra chemisette !

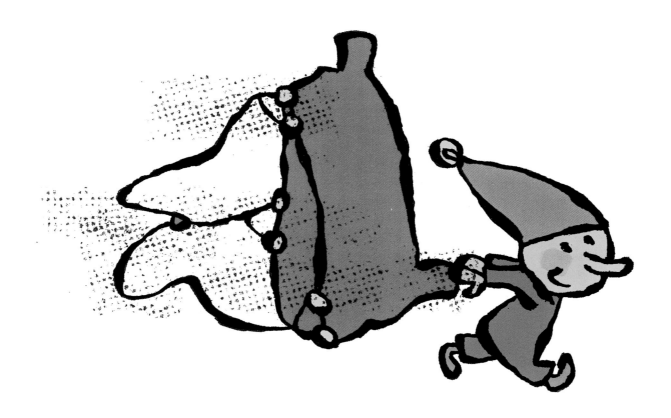

Zou, cracra pantalon. À la machine !

Heu… mon **cracra** slip aussi, à la machine ?
demande Cracra Noël.

Évidemment, coquin Cracra Noël.
Tout nu et plouf au bain !

Et maintenant, je peux avoir mon cadeau ?
supplie Cracra Noël.

Ouiiiiiii !
Surprise et joyeux Noël, Cracra Noël !